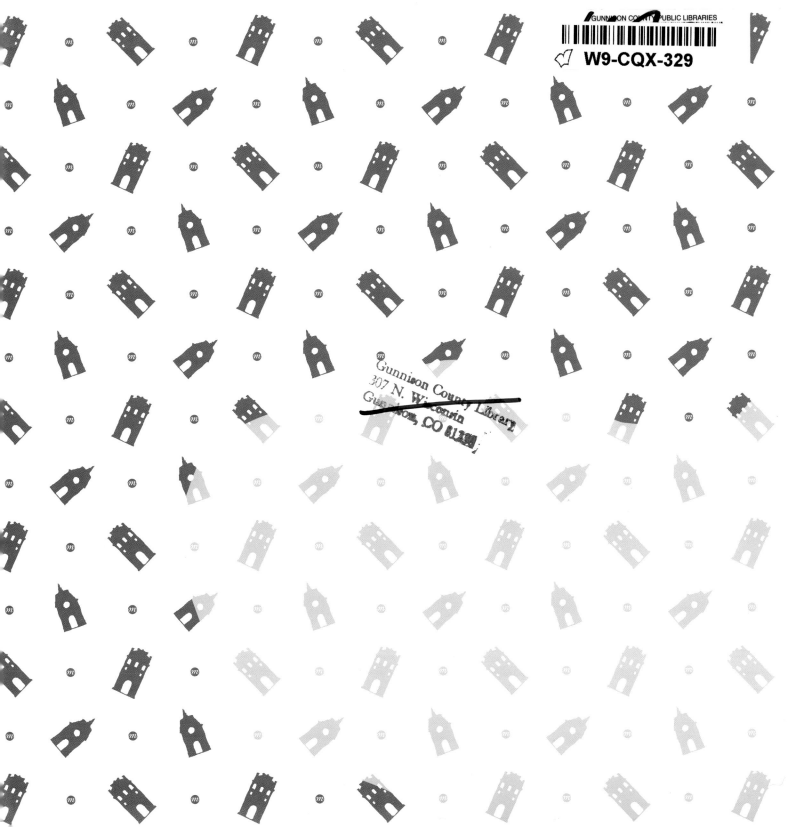

Merci à Marie-Dominique de Teneuille,
Béatrice Foulon, Frédérique Kartouby,
Hugues Charreyron et Annick Duboscq

à Julien et Nelly.

Conception graphique
et mise en pages :
Chloé Bureau du Colombier
Photogravure :
I.G.S.
Impression :
Imprimerie Alençonnaise

En couverture :
Footballeur, 1961

Marie Sellier

Mon petit Picasso

 Réunion
des Musées
Nationaux

Il y a, à Paris, rue de Thorigny,

un hôtel un peu particulier.

L'hôtel Salé, car c'est son nom,

ne reçoit pas de voyageurs.

Il est complet toute l'année :

un visiteur de marque s'y est installé.

Vous le connaissez,

6

il s'appelle Picasso.

L'hôtel Salé est son musée.

Approchez ! Entrez ! Regardez !

Il y a des peintures étonnantes,

il y a des sculptures épatantes,

il y a de tout, vraiment,

pour tous les goûts...

il y a ... une tête de taureau

On ne sait pas si Picasso

faisait du vélo, mais, avec un vélo,

il savait faire une tête de taureau.

Une vieille selle en cuir,

un guidon en métal un peu rouillé...

et voilà un taureau de course

prêt pour la corrida !

Mais ce que Picasso aurait adoré,

c'est pouvoir revenir en arrière.

Il aurait jeté le taureau par la fenêtre,

un enfant aurait pris le guidon, un autre la selle.

Et le taureau serait redevenu vélo.

Tête de taureau
assemblage-sculpture
1942

il y a ... un Picasso de vingt-cinq ans

C'est moi, Picasso,

pas très grand mais costaud.

Je me suis peint torse nu et bien carré

avec un très gros cou qui pourrait porter

une tête deux fois grosse comme la mienne.

Rose sur fond gris,

je ressemble à une statue de bois peint.

De mon regard noir,

je capture les choses et les gens,

et tous les bruits du monde

s'engouffrent dans ma grande oreille.

J'ai vingt-cinq ans à peine, mais je sais déjà

que je ferai parler de moi.

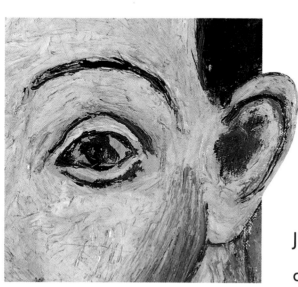

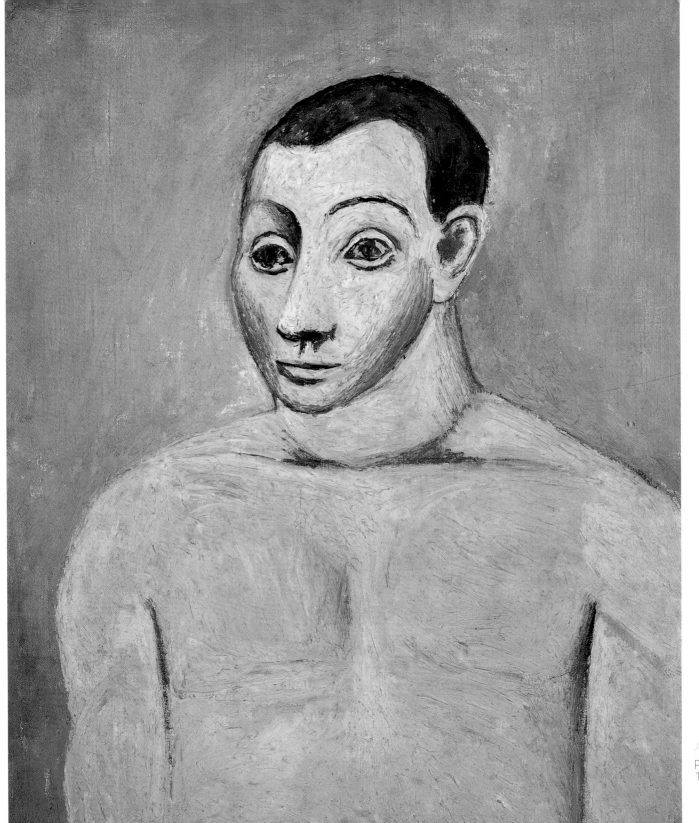

Autoportrait
peinture
1906

il y a ... une maman et son enfant à peau rouge

« Oh ! » dit le petit à peau rouge

en écarquillant les yeux.

« Ça alors » s'exclame la maman

à chignon en avalant sa bouche.

Les voilà bien étonnés,

le petit sans cheveux

et la maman aux yeux bleus.

Que regardent-ils ?

Ça, on l'ignore,

c'est le secret de Picasso.

Mais s'ils se retournaient,

ils verraient que les esprits de la forêt

ont envahi les bosquets.

Mère et enfant
peinture
été 1907

il y a ... Olga en robe de soie

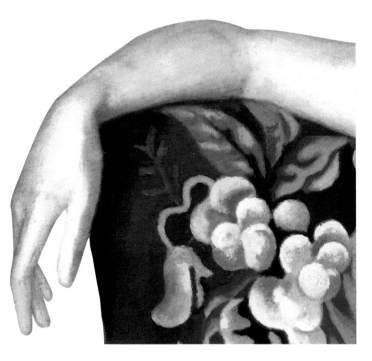

Elle est très élégante, Olga,

mais elle a l'air un peu absente

et comme posée là,

on ne sait pas pourquoi,

sur ce fauteuil inachevé.

Mais au fait, qui est-elle, Olga ?

Une danseuse russe !

Elle est aussi la femme de Picasso

et la maman de Paulo.

Portrait d'Olga
dans un fauteuil
peinture
1918

Quand on s'appelle Paulo

et que l'on est le fils de Picasso

on doit accepter de se déguiser

en arlequin jaune et bleu

et de poser sans bouger.

Mais Paulo en a assez :

« Dépêche-toi, Papa, j'ai envie

d'aller jouer ! Dépêche-toi, Papa,

j'ai des fourmis dans les pieds !

Dépêche-toi ! Et puis, j'y vais !

Tant pis si je n'ai pas de pieds ! »

Picasso pose son pinceau : « Paulo sans pieds ?

Hé, hé ! mais c'est une bonne idée ! »

Paul en arlequin
peinture
1924

il y a ... deux géantes sur la plage

Elles courent le long de la mer,

les deux géantes de chair,

immenses et pourtant légères.

Elles courent en se donnant la main,

mais leurs énormes pieds marins

effleurent à peine le sable éteint.

Où vont-elles, monsieur Picasso,

bras tendus vers le ciel ? Peut-être dans les airs,

rejoindre les nuages qui survolent la mer,

l'été, du côté de Dinard.

Deux Femmes courant sur la plage
peinture
1922

19

il y a ... une nageuse orange

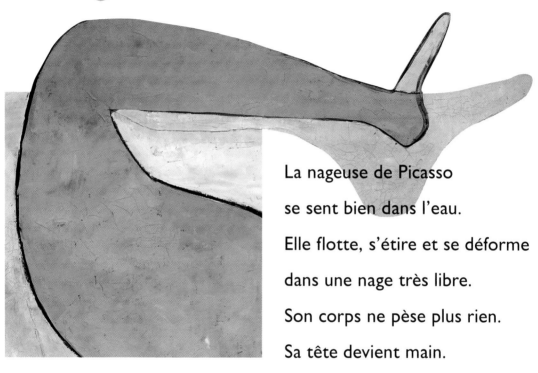

La nageuse de Picasso
se sent bien dans l'eau.
Elle flotte, s'étire et se déforme
dans une nage très libre.
Son corps ne pèse plus rien.
Sa tête devient main.
Et ce qui ressemble à son nez
est peut-être bien un doigt pointé
qui lui fait signe de remonter
là-haut, à la surface, pour respirer.

La Nageuse
peinture
1929

il y a ... Marie-Thérèse dans un fauteuil

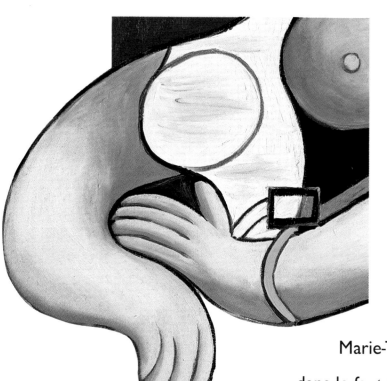

Marie-Thérèse a un visage en cœur de lune,

deux croissants mauve et vert

pour une figure bien ronde.

Marie-Thérèse a une mèche d'or,

parcelle de blé blond au soleil.

Marie-Thérèse a les bras

et les doigts qui ondulent,

vagues douces qui vont

et qui viennent sur le livre.

Marie-Thérèse rêve entre deux pages

dans le fauteuil rayé jaune et vert.

Marie-Thérèse est le nouvel amour de Picasso.

Pour elle, il peint en rond, des courbes,

des creux, des caresses et des bosses.

La Lecture
peinture
1932

il y a ... un guéridon qui danse

Picasso est un sorcier

qui fait tourner les tables.

Sous son pinceau,

entre les coupes et les pots,

jaillissent des arabesques

et des visages tout ronds.

Les pommes vertes

font les gros yeux,

la nappe rouge tire la langue

et le guéridon danse la java

sur ses trois jambes de bois.

Qui a parlé de nature morte ?

Grande Nature morte
au guéridon
peinture
1931

il y a ... Maya et sa poupée

Maya secoue ses couettes blondes.

Elle berce sa poupée et puis la gronde.

Elle est si jolie, Maya,

que Picasso, son papa,

veut la peindre

de tous les côtés

à la fois.

Maya qui rit,

qui bouge,

bien en vie.

Pas comme la poupée,

dont le visage trop sage

restera toujours à l'endroit.

Maya
à la poupée
peinture
1938

il y a ... un chat cruel

Le chat de Picasso
a sauté sur l'oiseau
et lui a déchiré l'aile.
Ce chat est un tueur.
Il a le blanc de l'œil cruel
et des petits couteaux
au bout des pattes.
Le chat de Picasso
n'a pas une tête de chat.
Il a la tête des hommes
qui aiment faire la guerre.

Chat saisissant un oiseau
peinture
1939

29

il y a ... une corrida dans un plat

Sous le soleil d'Espagne, olé !

se déroule une sacrée corrida.

Le taureau tourne,

tourne dans l'arène

et le toréador le rejoint

dans un tourbillon d'or.

C'est une lutte à mort.

Picasso aime tant la corrida

qu'il en fait tout un plat.

Plat espagnol
terre émaillée
1957

il y a ... Dora de toutes les couleurs

Entre Marie-Thérèse-la-blonde

et Dora-la-brune,

le cœur de Picasso balance.

Dora a la joue en pêche croquée

et le menton citron.

Quand Picasso la peint,

il lui fait un œil vert à l'envers

qui regarde l'œil rouge, à l'endroit.

Dora a des mains de fleur tropicale

aux ongles peints rouge sang.

Dora est une femme piquante.

Elle a un bouquet d'aiguilles à tricoter

à la place du cœur.

Portrait de Dora Maar
Peinture
1937

il y a ... madame catastrophe

Pour réveiller les gens, Picasso peint des portraits
à l'endroit, à l'envers, de travers
et dans le désordre.
Madame Catastrophe
est toute déconstruite.
Ses yeux vivent leur vie,
son nez fait profil bas,
sa bouche va à reculons,
son cou se prend pour un vase.
Mais cela ne l'empêche pas
d'être coquette : elle a piqué
un joli brin de feuillage bleu
sur son chapeau-galette.

Chapeau
de paille
au feuillage
bleu
peinture
1936

il n'y a pas ... ce tableau-là

Ah la jolie famille ! Blanche et verte

sur canapé jaune, maman lit ou se repose.

C'est Françoise, la nouvelle femme de Picasso.

Elle a un joli décolleté et un petit chignon serré.

Les enfants jouent

sur tapis rouge et bleu,

Claude avec son train-mille-pattes,

Paloma avec son petit tricycle.

Ce tableau n'est pas à Paris,

on peut le voir dans le Midi,

à Antibes pour être précis.

Picasso a tant et tant créé

qu'il a cinq musées

rien que pour lui !

Mère et enfants jouant
peinture
1951

il y a ... une guenon-automobile

Une petite voiture
à l'endroit pour le haut,
une petite voiture
à l'envers pour le bas,
et voilà une guenon
mi-Panhard, mi-Renault
qui ne manque pas d'allure.
Mais son petit est tout fragile,
pas King Kong pour deux sous,
avec sa tête balle de ping-pong.
Picasso est le champion
de la récupération. Avec lui,
on a intérêt à ranger ses jouets !

La Guenon et son petit
sculpture-assemblage
1951

il y a ... Jacqueline au long cou

Elle a les yeux en amande
d'une princesse égyptienne
et le cou plus long que celui
d'une femme-girafe.
Elle a le visage blanc,
comme les rayures blanches
de sa robe jaune et blanc.
Elle a les cheveux noirs
comme les carreaux noirs
du carrelage rouge et noir.
Accroupie, immobile et silencieuse,
elle attend ou elle veille. Jacqueline
est la dernière femme de Picasso.

Jacqueline
aux mains croisées
peinture
1954

il y a ... une chèvre de bois, de paille et de ferraille

Prendre un vieux panier d'osier

pour un ventre bien rond,

car la chèvre attend un petit.

Tailler une belle tige de palmier

pour le dos et le front.

Choisir quatre bouts de bois

pour les quatre pattes.

Fixer trois ceps de vigne

pour deux jolies cornes et une barbichette.

Ajouter deux pots à lait pour les mamelles

et de la ferraille en pagaille.

Noyer le tout dans le plâtre et tendre l'oreille...

« Bêêêh... » fait la chèvre de Picasso.

La Chèvre
plâtre original
1950

Tu peux retrouver

les deux géantes, la nageuse orange,

le guéridon qui danse et les autres

au musée Picasso.

Le musée est ouvert tous les jours

sauf le mardi,

et pour toi, c'est gratuit.

Crédits photographiques :
Réunion des musées nationaux
Photographies de J. G. Berizzi, G. Blot,
B. Hatala, T. Le Mage / F. Raux, R. G. Ojeda

Dépôt légal : septembre 2002
ISBN 2-7118-4496-X
JC 50 4496